El fantasma del loco vengador

DIRECCIÓN EDITORIAL: Patricia López
COORDINACIÓN DE LA COLECCIÓN: Karen Coeman
CUIDADO DE LA EDICIÓN: Pilar Armida y Obsidiana Granados
DISEÑO DE PORTADA: Renato Aranda
FORMACIÓN: Zapfiro Design
ILUSTRACIÓN DE PORTADA: Mauricio Gómez Morín

El fantasma del loco vengador

Texto D.R. © 2008, Jordi Sierra i Fabra

PRIMERA EDICIÓN: junio de 2009
D.R. © 2008, Ediciones Castillo, S.A. de C.V.
Insurgentes Sur 1886, Col. Florida,
Delegación Álvaro Obregón,
C.P. 01030, México, D.F.

**Ediciones Castillo forma parte
del Grupo Macmillan**

www.grupomacmillan.com
www.edicionescastillo.com
infocastillo@grupomacmillan.com
Lada sin costo: 01 800 006-4100

Miembro de la Cámara Nacional
de la Industria Editorial Mexicana.
Registro núm. 3304

ISBN: 978-607-463-045-9

Impreso en México/*Printed in Mexico*

El fantasma del loco vengador

Jordi Sierra i Fabra

Castillo del Terror

i
Sesión de espiritismo

La habitación estaba envuelta en penumbras, iluminada únicamente por la débil luz de la vela a cuyo alrededor se hallaban los tres niños. El movimiento de la llama diseminaba sombras móviles que los agigantaban en las paredes repletas de carteles y estantes llenos de libros. El silencio se hizo mucho más denso después de que Sandra anunciara:

—Prepárense.

Extendió sus manos con las palmas hacia arriba, en dirección a Laura y a Javier. Laura tomó su mano derecha, Javier la izquierda, y ambos unieron sus manos al otro lado para cerrar el círculo alrededor de la llama.

Sus pulsos se aceleraron.

Se miraron entre sí, con creciente respeto y no poco disimulado temor. Una cosa era hablar del asunto a plena luz del día y en el jardín, y otra muy distinta era no sólo hablarlo, sino disponerse a intentarlo.

—Concéntrense —dijo Sandra.

Laura, su hermana pequeña de 10 años, tres menos que ella, cerró los ojos. Javier, el primo de ambas, sólo medio año menor que Sandra, y que estaba pasando unos días de vacaciones en su casa, fue más reacio.

—Vamos, Javier —lo apremió la chica.

Javier obedeció, aunque no cerró los ojos del todo. Dejó el derecho entreabierto.

—Javier… —le reprochó su prima.

El chico cerró los párpados por completo.

El nuevo silencio apenas duró unos segundos. Sandra apretó con fuerza las manos de Laura y de Javier, y ellos, por su cuenta, hicieron lo mismo con las suyas. Con voz lóbrega, que salía de lo más profundo de su ser, Sandra empezó a decir:

—¡Oh, espíritus de la noche, del bien y del mal, de las sombras y del Más Allá, estamos aquí para invocarlos, para pedirles que se manifiesten en paz. Somos sus amigos. Queremos saber de ustedes. Confíen!

Javier volvió a entreabrir un ojo.

Sandra estaba muy seria, muy concentrada.

Pero Laura también tenía un ojo entreabierto.

Los dos se miraron.

—¿Se puede saber qué pasa? —gritó, de pronto, la mayor del trío.

Sin saber qué decir, se encontraron con su mirada de enfado.

—¡Si no unimos nuestra energía, es imposible que esto salga bien! —protestó Sandra—. Los espíritus no aparecen así como así. Hay que crear un ambiente propicio. ¿Quieren hacerlo o no?

—Sí, claro —aseguró Javier.

—Por supuesto —asintió, valiente, Laura.

—De acuerdo —suspiró Sandra—. Vamos a intentarlo de nuevo.

Seguían tomados de las manos, así que lo único que hicieron fue cerrar los ojos y concentrarse. Después de todo, no tenían nada que temer, se hallaban en la habitación de Sandra, en casa, y los espíritus… bueno, los libros que habían leído decían que generalmente eran buenos.

Generalmente.

La voz de Sandra sonó mucho más grave que la primera vez.

—Espíritus del Más Allá, véannos aquí, mortales, abriendo una puerta para que vengan a nosotros. Se lo pedimos, manifiéstense. Queremos conocerlos. Sabemos que pueden hacerse visibles aunque sean intangibles para nosotros. Permítannos ser el puente por el que regresen a la Tierra.

Dejó de hablar, y esta vez ella pudo sentir la energía que fluía a través del cerrado círculo formado por sus manos.

Esperó unos segundos.

—Espíritus, ¡espíritus! Manifiesten su etérea presencia, vamos, ¡vamos! Yo los invoco por el Poder de las Sombras. Yo los llamo por la Voz de la Eternidad. Yo les abro la Sagrada Puerta del Regreso. Sé que están ahí, ¡vengan a nosotros!

La vela chisporroteó como si, en alguna parte, se hubiera abierto una puerta que permitiera el paso de una corriente de aire.

—Sandra... —susurró Javier al notarla.

—¡Los siento! —no le hizo caso a su primo—. ¡Percibo su aliento! ¡Adelante!

Y en ese momento...

Se escuchó un golpe.

Un golpe claro, lejano.

Los tres abrieron los ojos al instante.

2
Una decisión arriesgada

No abrieron los ojos por el miedo. El golpe había sido demasiado real.

Una puerta, en la planta baja.

Desde allí, se oyó una voz familiar.

—¡Sandra! ¡Laura! ¡Javier! Ya estamos aquí. Por favor, bajen a ayudar.

—¡Oh, no! —gimió Sandra.

La magia quedó rota. El círculo formado por sus manos se deshizo. Se relajaron, expulsando el aire retenido en sus pulmones y destensando sus rígidas espaldas. Los tres miraron la vela, la habitación, y finalmente, se vieron entre ellos. Volvían a ser tres niños con la sensación de no haber hecho otra cosa más que jugar.

—Qué mala suerte —protestó Laura.

—¿No dijeron que iban a regresar más tarde? —refunfuñó Javier.

Sandra se puso de pie.

—Uno así no se puede concentrar —Sandra mostró su enfado—. ¿Cómo van a venir a una casa en la que inesperadamente aparecen los papás? Supongo que bastante tuvieron con los suyos cuando eran jóvenes y mortales como nosotros.

—¿Niños? —insistió su madre desde abajo.

Laura corrió a apagar la vela. Javier encendió la luz tras levantarse. Sandra fue quien sacó la cabeza por la puerta.

—¡Ya vamos! —gritó.

—De acuerdo, cariño.

Volvió a cerrar la puerta y se quedó apoyada en ella, cruzada de brazos. Los libros de magia y espiritismo se amontonaban en los estantes. Conocía la teoría, pero la práctica...

—Está claro que esto no puede hacerse así como así, y menos en una habitación tan vulgar y normal como ésta —convino.

—¿Y dónde quieres que lo hagamos? —Laura se encogió de hombros.

—Yo te diré dónde: en el único lugar del mundo en el cual anidan espíritus de verdad, porque viven allí. No es como aquí, que o están de paso o ni se enteran, y encima hay papás y mamás entrando a cada momento.

—¿Qué lugar es ése? —preguntó Javier.

—El cementerio —anunció Sandra.

Su hermana y su primo la miraron con los ojos muy abiertos.

—¿El… cementerio? —balbuceó ella.

—¿El cementerio con… tumbas y todo eso? —la secundó él.

—El cementerio, sí, el cementerio —se molestó Sandra, impulsiva como siempre, testaruda y visceral—. ¿Conocen un lugar mejor?

—Pero no podemos ir a un cementerio —dijo Laura, vacilante.

—¿Ah, no? ¿Por qué? —preguntó Sandra.

—Pues porque… —su hermana pequeña buscó argumentos.

—No nos dejarían hacerlo, y además, si alguien se entera… —afirmó Javier.

—¿Ustedes creen que lo haríamos de día o qué? —expuso Sandra—. De noche no hay nadie en la calle, y menos en el cementerio. Salimos, hacemos el ritual, hablamos con los espíritus y nos regresamos. Nadie lo sabrá jamás. Podemos hacerlo cuantas veces queramos.

Se iba animando sola. Solía ser así. Primero la idea aparecía en su mente, a continuación estallaba en ella como un repentino castillo de fuegos artificiales, y acto seguido, sin tiempo para madurarla o calibrarla, ya deseaba ponerla en práctica. Era un verdadero torrente.

Javier y Laura se miraron.

—¿De veras crees que…?

—¡Sí! —insistió con determinación la mayor de los tres.

—¿Y cuándo…?

—¡Esta misma noche!

Javier y Laura volvieron a mirarse.

—Los necesito —exigió Sandra—. Un círculo de uno no sirve, ni de dos. Por lo menos tiene que haber tres. No me digan que tienen miedo.

—No, no —dijo Javier.

—Para nada —Laura fingió total aplomo.

—Muy bien —Sandra hizo entrechocar sus manos—. ¡Pues vamos a cenar y a acostarnos temprano! ¡Esta noche vamos a tener una verdadera sesión de espiritismo!

Fue la primera en salir de la habitación para ir a la planta baja.

Laura y Javier tardaron todavía algunos segundos en reaccionar.

3
La liberación de los espectros

Camino del cementerio se detuvieron en la fuente del pueblo. Era el orgullo de la comunidad. Encima del tubo, por el que caía un débil chorrito de agua, podía leerse: "Fuente del Gran Poder". Y abajo: "El agua con más hierro del mundo".

—Vamos a beber —propuso Sandra—. Es bueno cargar energía y, según mamá, no hay nada como el hierro. Cada vez que se empeña en darme vitaminas, según ella, es porque estoy baja de hierro.

—Son una lata con las vitaminas —dijo Javier.

Bebieron despacio, para dar un buen trago. De hecho, aún sentían el sabor de la aventura recién iniciada. Salir de la casa había sido muy fácil. Y a aquella hora, nadie deambulaba por el pueblo.

Los tres llevaban linterna, y Sandra, además, una vela y una caja de cerillos. No necesitaba más. Se sabía los rituales de memoria.

En alguna parte, retumbó un trueno lejano.

Siguieron caminando y, a los cinco minutos, ya casi habían salido del pueblo, linterna en mano, puesto que la noche era muy oscura. Recorrieron la senda que serpenteaba por la colina de las ánimas hasta el cementerio. Era un gran cementerio para un pueblo pequeño, pero allí se podían ver tumbas de más de 200 años. Aceleraron el paso y, finalmente, se detuvieron ante la puerta de hierro labrado, negra, solemne y cerrada con llave. No tuvieron que abrirla. Les bastó saltar el muro por el lado derecho. Un muro de su misma altura.

Un relámpago cercano iluminó sus cuerpos mientras saltaban el muro del cementerio.

—Ya estamos dentro —suspiró, feliz, Sandra.

—Sí, ya estamos dentro —Laura miraba a todas partes con precaución, dirigiendo el haz de su linterna alrededor suyo, como si por allí el tráfico de espíritus fuera tan denso como el de la calle principal a la hora pico.

—¿Nos pegamos al muro? —propuso Javier.

—¿Para que alguien vea el resplandor de la vela cuando empecemos? —objetó Sandra—. Ni hablar. Vamos dentro, donde haya árboles.

Tomó la iniciativa, como era habitual, y se internó en el cementerio. Javier y Laura la siguieron.

Más que a su propio miedo, le temían al carácter de Sandra. Y también temían quedarse solos allí.

Sandra no se detuvo hasta 20 o 30 metros después, en un claro flanqueado por varios árboles e ilustres cipreses que rodeaban algunas tumbas. Ni siquiera se fijó en las lápidas. De momento, no era importante. Si todo salía bien, hablarían con los fantasmas de los allí enterrados.

Otro trueno retumbó encima de sus cabezas.

—Va a llover —Laura sentenció, supersticiosa.

—Ya verás que no —dijo Sandra, emocionada y dispuesta a todo para seguir con su plan.

Un resplandor cruzó el cielo, diseminando espectrales sombras a su alrededor.

—¡Oh, no! —suspiró Javier.

Sandra ya estaba sentada en el suelo, ajena a todo. Sacó la vela y los cerillos de su chamarra. Prendió la vela y apagó su linterna.

—Vamos, ¿qué esperan? —los apuró a imitarla.

La obedecieron y unieron sus manos, como horas antes en el cuarto. Luego cerraron los ojos. La voz de Sandra, revestida de la solemnidad del momento y de una emoción sin par, inició el ritual:

—¡Oh, espíritus de la noche, del bien y del mal, de las sombras y del Más Allá, estamos aquí para invocarlos, para pedirles que se manifiesten en paz. Somos sus amigos. Queremos saber de ustedes. Confíen!

Un trueno muy fuerte los hizo estremecer.

—Espíritus del Más Allá, véannos aquí, mortales, abriendo una puerta para que vengan a nosotros. Se lo pedimos, manifiéstense. Queremos conocerlos. Sabemos que pueden hacerse visibles aunque sean intangibles para nosotros. Permítannos ser el puente por el que regresen a la Tierra.

El resplandor de un rayo los iluminó. Esta vez Javier y Laura no abrieron los ojos, como si una corriente interior empezara a dominarlos. Sandra pronunció la tercera invocación:

—Espíritus, ¡espíritus! Manifiesten su etérea presencia. Vamos, ¡vamos! Yo los invoco por el Poder de las Sombras. Yo los llamo por la Voz de la Eternidad. Yo les abro la Sagrada Puerta del Regreso. Sé que están ahí, ¡vengan a nosotros!

Faltaba tan sólo la llave, la frase mágica:

—¡*Afidu menka libari*!

La dijo en el mismo instante en el que un rayo se abatió con furia incontrolada sobre los tres. No lo vieron, pero justo antes de caer sobre ellos, se desvió unos metros, y abrasó un árbol bajo el que había varias lápidas.

El impacto los hizo abrir los ojos y gritar de terror.

—¡¡¡Aaaaaah!!!

No gritaron por el efecto del rayo, ni por el árbol chamuscado, sino porque de las tumbas emergieron los fantasmas, igual que estelas blancas, luminosas, espectrales.

4
Huida a través del cementerio

No lo pensaron dos veces. Primero creyeron que nunca podrían levantarse, que estaban agarrotados. Luego imaginaron que los espíritus no los dejarían. Contaron tres. Pero, al parecer, los fantasmas estaban tan impresionados como ellos.

Por su libertad.

—¡¡¡Aaaaaaaah!!! —volvieron a gritar Sandra, Javier y Laura.

Se levantaron y echaron a correr.

Perseguidos por los fantasmas.

Aunque la noche era negra, no les dio tiempo de encender las linternas, pero los rayos que cruzaban el cielo sin cesar les iluminaban el camino. Saltaron y pisaron tumbas y lápidas, sin ningún respeto. No dejaron de girar la cabeza. Las estelas los perseguían.

No tenían una forma concreta. A veces parecían simples cometas; otras, en cambio, ofrecían una apariencia más humana, aunque no natural. Sus rostros tenían los ojos grandes, las formas secas. Eran como esqueletos flotantes, pero cubiertos de piel y harapos, o lo que fuera aquello. Lo más tenebroso era aquella luz, aquella blancura mortal, como si el rayo los hubiera teñido.

—Esperen… —creyeron oír que les decían.

Ilusión o no, aunque pareciera imposible correr más, corrieron más.

Hasta que Laura tropezó.

—¡Ayúdenme! —pidió a Sandra y a Javier.

Ambos se detuvieron. Los tres espíritus rodeaban a Laura, mirándola con curiosidad. Sandra tomó un palo. Fue inútil porque su golpe atravesó a los fantasmas, pero su gesto resultó valiente.

—¡Déjenla!

Javier la ayudó a levantarse. Sandra vio mejor a los espíritus. Había soñado tanto tiempo con aquello y ahora… ¡lo había conseguido!

—¡Vamos, Sandra!

Javier y Laura corrían. Sandra los siguió y arrojó el palo a los fantasmas. Éste atravesó a uno de ellos. A unos metros tenían el muro del cementerio. Era el último obstáculo, y lo libraron de un salto. El camino a casa estaba libre.

Para ellos fue una eternidad, pero corrieron en tiempo récord. No dejaron de voltear.

—¡Los estamos dejando atrás!

—¿De qué servirá entrar en casa? ¡Si atraviesan las paredes!

—¡Uno ya no está!

Los fantasmas ya no los perseguían. Flotaban a distintas alturas. Parecía como si reconocieran poco a poco el pueblo, su pueblo. Sus… casas.

—¡Ya no nos siguen!

Llegaron, sin aliento, a la casa. Y desde ahí miraron a su alrededor.

Estaban solos.

Luego entraron en ella, sin hacer ruido, y los tres se metieron en la cama de Sandra. No habrían podido resistir dormir solos.

—¡Uf! —suspiró Laura—. ¡Por un pelo!

—Calla, pueden oírte —gimió Javier.

Sandra no decía nada. ¡LO HABÍA HECHO! Sabía que era posible, que tenía poder. Lo malo fue que reaccionó como una idiota. Estaba muy emocionada. De todas formas…

No se sentían capaces de cerrar los ojos, y menos de dormir.

Pero a los cinco minutos, sus conciencias ya no pertenecían a este mundo.

Ni siquiera vieron la estela blanca que pasó poco después al otro lado de la ventana, y que se asomó a su habitación para mirarlos.

5
Despertar conflictivo

Por la mañana, los tres se miraron sin saber muy bien qué decir.

—¿Lo… soñamos? —preguntó Laura.

—¿Los tres tuvimos el mismo sueño? —la convenció Javier—. Pasó de verdad, claro que sí.

—¿Dónde estarán? —se preguntó Sandra.

—No quiero volver a oír hablar de fantasmas, ni de espíritus, ni de nada —aseguró Laura.

—Debimos hablar con ellos —dijo Sandra—. A fin de cuentas los liberamos. Nos lo deben.

Laura y Javier se estremecieron.

—Mejor vamos a desayunar —dijo Laura.

No había nadie en la cocina, y se extrañaron porque tampoco era muy tarde. Por lo general, la mamá de las niñas ya estaba allí, yendo de un lado para otro, y en la mesa había platos con cereal, pan tostado, mantequilla, leche…

—¿Mamá? —llamó Sandra.

Nadie respondió.

Iban a buscarla o a ver qué había pasado, cuando escucharon voces afuera de la casa. Se asomaron por una ventana de la sala, y se quedaron boquiabiertos: todos estaban en la calle.

Unos hablaban. Otros corrían. La mayoría miraba a todas partes con cierto recelo y temor. La madre de Sandra y Laura gesticulaba con la señora Peña, su vecina. La señora Herrera, una nueva vecina, se acercó a ellas. Tenía la cabeza llena de tubos, bata y cara de recién levantada.

—¿Qué sucede? —la oyeron preguntar.

—¡Cómo! ¡A poco no se ha enterado! —chilló la señora Peña.

—¡El pueblo está lleno de fantasmas! —chilló también la mamá de Sandra y Laura.

Sus hijas y Javier se miraron entre ellos.

—¡Oh, no! —gimió el niño.

Prestaron atención al diálogo.

—¿Conoce a Dora Luna? Pues el fantasma de su primer marido se le apareció en la noche, y la acusó de haberse casado con otro tras su muerte, después de prometerle que no lo haría. ¡Le dio un buen susto! ¡Y le dijo que se le aparecerá todas las noches, desde ahora!

—¡Celso, el mecánico, también recibió una visita! —continuó la señora Peña—. Hace algunos años, un hombre le llevó el coche a reparación, y al sacarlo del taller de Celso, se mató. Nunca pudo probarse que fuera negligencia de Celso, ¡pero ahora el fantasma de ese hombre se lo está diciendo a todo el mundo!

—¡Y a Gertrudis Ferrer se le apareció su hermana Adela, que era insoportable! —dijo la madre de Sandra y Laura—. ¡Parece como si no se hubiera muerto: le habla, le habla y le habla! ¡La volverá loca de nuevo!

La señora Herrera estaba muerta de miedo.

—¡Oh, no! —gimió—. ¡Y si se me aparece el fantasma de mi suegra...!

—¿Qué vamos a hacer? —sollozó la señora Peña—. ¡Con lo tranquilo que era este pueblo hasta ahora!

Las tres mujeres, histéricas, se pusieron a hablar al mismo tiempo y a gritos. Sandra, Laura y Javier se apartaron de la ventana.

Habían oído suficiente.

Ellos habían liberado a las fuerzas del Más Allá, y buenas o malas, estaban afuera, con ellos, donde no debían.

Todo por su culpa.

—¿Qué vamos a hacer ahora?

Ninguno tenía alguna respuesta para una pregunta tan complicada.

6
Tres fantasmas sueltos

Nadie les prestó atención cuando se acercaron al cementerio.

El pueblo entero se había vuelto loco.

—Sandra, ¿estás segura de que…?

—Vamos, Laura —Sandra jaló a su hermana—. Metimos la pata, y hay que asumirlo. Hay que ver qué pasó.

—Oye, ¿crees que los fantasmas habrán vuelto a sus tumbas para dormir de día? —dijo Javier con escepticismo.

—No, no lo creo, pero tenemos que ir al lugar donde pasó todo, y tratar de averiguar más cosas. Contamos tres espíritus, ¿recuerdas? Y según la gente, el pueblo entero está lleno de ellos.

—¿Y qué más da que sean tres o tres mil?

—Si ustedes no me quieren ayudar, lo haré sola —insistió Sandra.

Los tres estaban unidos, juntos en eso, así que no hubo discusión posible. Ellos habían liberado a los espíritus. Y era su deber volver las cosas a la normalidad.

Aunque, la verdad, ese trabajo se les antojaba todavía más difícil.

El muro del cementerio apareció ante sus ojos. La puerta seguía cerrada con llave. Nadie parecía interesado en el lugar, por raro que pareciera, aunque también pudiera ser que el miedo les impidiera reaccionar. De día, el lugar tenía una serena tranquilidad.

Saltaron el muro y se acercaron al claro donde había sucedido todo. Al llegar a él vieron el árbol quemado por el rayo, los restos de la vela y los cerillos. Sandra iba delante, siempre abriendo el camino.

—Todo parece tranquilo —suspiró Javier.

—Fíjense —señaló Laura—. Sólo hay tres tumbas al pie del árbol.

—Veamos de quiénes son —sugirió Sandra.

Se acercaron despacio, como si temieran que, de un momento a otro, las estelas blancas surgieran de alguna parte y los arrastraran al abismo. Cada uno leyó el nombre de una tumba.

—Hugo Méndez —dijo Sandra.

—Raúl Durán —leyó Javier.

—Adela Ferrer —dijo Laura.

No cabía ninguna duda.

—Hugo Méndez fue el primer marido de la señora Dora Luna, Adela Ferrer era la hermana de la señora Gertrudis, y ese tal Raúl Durán debió de ser el hombre que murió en el accidente después de que Celso, el mecánico, le arreglara el coche.

—¡Hemos liberado tres espíritus locos y vengativos! —alucinó Javier.

—¡Oh, no! —dijo Laura, abatida.

Sandra tenía el ceño fruncido. Ella solía resolver las cosas, en lugar de quedarse lamentando sin hacer nada.

—Hay que devolverlos a su mundo —dijo con firmeza.

—¿Qué? —balbuceó Javier.

—¿Estás loca? —le dijo su hermana pequeña—. ¿Cómo vamos a hacer ESO?

Sandra lo dijo sin rodeos:

—Vamos a ver a Elda.

Laura y Javier dieron un paso atrás.

—¡NO! —exclamaron al unísono.

7
Los tres espejos

En el pueblo, todos le temían a la vieja Elda.

Vivía en las afueras, apartada y solitaria, y sobre ella corrían mil rumores y leyendas, aunque nadie se atrevía a jurar que fueran verdad. Unos decían que tenía más de 100 años. Otros, los más viejos del lugar, aseguraban que no, que recordaban haberla conocido joven, aunque por extraño que pareciera, no había dos opiniones iguales al respecto. Por un lado se decía que fue una chica poco agraciada, hija de una mujer tenebrosa que la mantuvo encerrada bajo siete llaves para que no "se contaminara" del mundo, y por el otro, que era atractiva, pero que un amor frustrado la sumió en el silencio y la soledad.

Fuera como fuera, nadie se acercaba a las inmediaciones de su casa. Las leyendas hacían referencia precisamente a eso, a sus posibles poderes y a sus malignas virtudes. Alfonso Torres se había metido un día en su casa para curiosear, y a los dos días lo operaron del apéndice. Clara Burgos se rio un día en su cara, y a la semana se rompió una pierna. Ciertas o no, ésas y otras historias habían contribuido a crear la sensación de que era mejor no meterse con la vieja Elda. Por la chimenea de su casa a veces salía humo de colores.

Si no era una bruja, una hechicera, una nigromante o cualquier cosa parecida, poco le faltaba.

Por eso, Sandra estaba segura de que era la única que podía echarles una mano. O aconsejarles qué hacer.

—No querrá ayudarnos —insistió Laura—. Si tiene poderes se pondrá de parte de los espíritus.

—¿Se te ocurre algo mejor? —le reprochó su hermana mayor—. ¿Quieres que vayamos esta noche de nuevo al cementerio para tratar de invertir el proceso?

—¡No! —exclamó Laura.

—¿Sabes cómo invertir el proceso? —le preguntó Javier a Sandra.

—No —reconoció Sandra bajando la vista.

Tenían delante la breve senda que conducía a la casa de Elda. Cuando entraran en ella... cualquier cosa sería posible. Desde allí, parecía una casa normal, incluso cuidada. El jardín, en cambio, estaba plagado de malas hierbas. Cierta aprensión los invadió e intimidó.

—Vamos —dijo Sandra.

Empezó a caminar. Los otros dos la siguieron cuando ya había dado tres pasos. A pocos metros de la puerta, el ímpetu de Sandra decreció.

Y entonces, la puerta se abrió.

Se detuvieron.

La vieja Elda, arrugada, impresionante, con sus fríos ojos de acero, vistiendo una túnica color violeta, los miró apenas un segundo. Primero pareció asombrada. Después ya no.

Más les sorprendió a ellos cuando les dijo:

—Pasen. Los esperaba.

La obedecieron, más por el magnetismo de su mirada, por sus palabras y por la necesidad, que por el deseo de hacerlo. Cruzaron el umbral de la casa que tantos rumores causaba en el pueblo y se encontraron en una salita de estar común y corriente, llena de libros, miles de libros. No había televisión, ni reproductor de discos, ni computadora ni nada parecido. Sólo libros.

—¿Así que fueron ustedes?

Los tres voltearon para mirarla mientras ella cerraba la puerta.

—¿Cómo sabe…?

—Quien abrió la entrada de este mundo para que esos espíritus volvieran, tuvo que hacerlo por accidente, así que pensé que su siguiente paso sería venir a verme. ¿Qué pasó?

—No lo sabemos con certeza —dijo Sandra—. Tengo muchos libros, pronuncié los sortilegios, las palabras mágicas...

—*Afidu menka libari* —la interrumpió Elda.

—¿Las conoce? —se sorprendió Sandra.

—¿Dónde se encontraban cuando invocaron a los espíritus?

—En el cementerio.

—¿Al lado de esas tumbas?

—Sí —afirmó Sandra, que era la única de los tres que hablaba porque Laura y Javier estaban paralizados y mudos—. Hubo una tormenta, luego cayó un rayo...

—Comprendo —Elda asintió con la cabeza.

—No queríamos que pasara nada de eso.

—Pero ha pasado, querida. No se puede jugar con esas cosas alegremente. El Más Allá no es un juego.

Sandra le mostró su arrepentimiento.

—¿Puede hacerse algo para...?

—La única forma de conseguir que un espíritu liberado mediante la energía vuelva a su mundo y se desvanezca de éste, es a través de un proceso de involución, y no es fácil llevarlo a cabo. Hace falta valor. ¿Lo tienen ustedes?

—Sí —aseguró Sandra con determinación.

La vieja Elda miró a Laura y a Javier.

—Sí —dijeron al unísono, con un hilo de voz, arrastrados por el valor de Sandra.

—Y sólo ustedes tres pueden hacerlo, ¿comprenden lo que digo?

—¿Qué hay que hacer? —preguntó Sandra.

—Deben encerrar a cada uno de esos espíritus en un triángulo de espejos, de forma que su luz se refleje en ellos al mismo tiempo. Cuando esa luz vuelve al espíritu, su energía se contrarresta. En este caso, la suma de dos fuerzas no produce un aumento, sino todo lo contrario. Entonces el espíritu se desvanece, y con el último átomo… abre de nuevo la puerta de su espacio vital, fuera de él. ¿Han comprendido?

Lo habían comprendido.

De lo que no tenían idea era de cómo demonios iban a llevarlo a cabo.

8
El primer espíritu

Al anochecer, el pueblo entero se preparaba para una nueva noche de terror, en especial las tres personas a quienes los fantasmas habían elegido como centro de su interés. Debido a ello, Sandra, Laura y Javier no habían pensado en que los papás de las dos niñas se empeñarían en meterse en casa temprano y cerrar todas las puertas y las ventanas.

—¿Para qué cerrar todo si los fantasmas pasan por donde sea? —protestó Sandra.

—¡Quieres hacer el favor de callarte! —chilló su madre, asustada.

—Esto no es un juego —le reprochó su padre—. No debe jugarse con el otro mundo.

—Si pudiéramos tapizar la casa entera con plomo… —suspiró la mujer.

—¿Por qué con plomo? —preguntó Javier.

—El plomo, o cualquier metal denso, impide que pasen cualquier tipo de partículas o energía —le explicó Sandra—. ¿No has visto las películas de Supermán?

Como fuera, a la hora en que debían salir, armados con tres pequeños espejos sacados de aquí y de allá, los niños continuaban en la casa, prisioneros del mismo horror que habían provocado sin darse cuenta.

—¿Qué vamos a hacer? —se angustió Laura.

Sandra miró a sus padres. Estaban temblando, y de vez en cuando miraban a su alrededor, como si fueran a aparecer fantasmas por todas partes. Mientras no los cloroformizaran…

—Nos vamos a dormir —anunció.

—Duerman los tres juntos, será mejor —aconsejó la mamá—. Ayuden a Javier a meter el colchón en su recámara.

Los niños subieron y esperaron, hasta que, una hora después, Sandra volvió a bajar. Sus papás estaban dormidos en el sofá, agotados. Sonrió y subió de nuevo para avisar a su hermana y a su primo. En menos de cinco minutos ya corrían por las calles del pueblo desierto y oscuro, con sus espejos en la mano, buscando al primero de los espíritus liberados la noche anterior.

—¿A qué casa vamos a ir primero? —quiso saber Laura.

—La casa más cercana es la de la señora Dora Luna —se orientó Sandra—. Vamos allí.

Daba lo mismo tanto un lugar como otro, así que aceptaron la idea de Sandra. No se veía ni una luz en el pueblo, y el espectro del terror sobrevolaba el ambiente igual que un pesado manto de acero capaz de aplastarlos. La gente del pueblo no sabía cómo enfrentar algo tan insólito. Sólo pedía que los fantasmas no se metieran con ellos.

Por eso, cuando oyeron el primer grito mientras se acercaban a casa de la señora Dora Luna, no les extrañó que nadie corriera en su ayuda ni se encendiera ninguna luz.

Llegaron sin problemas a la casa y entraron en el jardín. A diferencia de las demás edificaciones, todas las luces estaban encendidas, así que pudieron asomarse a la ventana más cercana. Lo que vieron los dejó atónitos.

El fantasma del señor Hugo, el primer marido de la señora Luna, flotaba por encima de su ex esposa, que estaba hecha un ovillo, en un rincón, con la cabeza entre las manos.

—Te lo dije —ululaba el espectro—. Te dije que si me engañabas, volvería, ¡y he vuelto!

—¡Vete, vete! —chillaba ella—. ¡Yo no tengo la culpa de haberme enamorado otra vez! ¿Por qué te has vuelto perverso? Antes no eras así. ¡Vete!

—¡Uuuuuh, Dora, uuuuh! —la aterrorizaba el espíritu.

—¡Aaaaaah!

Sandra, Javier y Laura estaban pálidos.

—Vamos —los animó Sandra.

—¿Qué haremos si... esto sale mal y él... se enoja? —tembló Javier.

Sandra no lo sabía, pero el frío que sentía en su corazón le decía que las consecuencias no podían ser peores que él.

9
La primera victoria

Había tres ventanas en la sala, la que ocupaban ahora, una frontal y una lateral. Desde ellas no se podía establecer un perfecto equilibrio con ángulos de 120 grados entre los tres espejos, pero no tenían otra alternativa, salvo entrar y arriesgarse. Sandra calculó sus posibilidades.

—Tú te quedarás aquí —le dijo a Laura—. Yo iré a la del otro lado y tu estarás en ésa —señaló la ventana lateral a Javier—. Fíjense: el punto central para que podamos atraparlo entre los tres es justo encima de esa mesita con fotografías. Entonces lo rodearemos. Esperen hasta que se quede o pase por ahí, y entonces… apunten bien.

—¿Y si no pasa nada?

Sandra fulminó a Javier con la mirada.

—Vamos a ser positivos, ¿sí?

—De acuerdo —Javier tragó saliva.

—Vamos.

Sandra y Javier dejaron a Laura sola y rodearon la casa por la izquierda. Cuando Javier se quedó en su ventana, los gritos de Dora Luna sonaban aterradores. Los tres miraron instintivamente hacia el interior de la sala.

El fantasma del señor Hugo Méndez envolvía a su ex esposa.

—Siente el frío del Más Allá, Dora, ¡siéntelo!

—No perdamos tiempo —le cuchicheó Sandra a su primo.

Siguió su camino, y no se detuvo hasta llegar a su destino. En cuanto estuvo en la tercera ventana, miró las otras dos.

Javier y Laura estaban absortos con las diabluras del espíritu ofendido del señor Hugo.

—No se distraigan... vamos —gimió Sandra.

Pero hasta ella se quedó hipnotizada con el terrorífico efecto de la escena.

—¡Uuuuuuh! ¡Uuuuuuuuh! ¡Uuuuuuuuuuh! —insistía el espectro danzando por encima de la aterrorizada mujer.

—Vete, Hugo, ¡vete! ¡Tú no eras así cuando estabas vivo!

La señora Luna se levantó del suelo de pronto y echó a correr por la sala. La estela luminosa la siguió, alargándose como si fuera de chicle. Unas veces se le ponía delante y otras la empujaba.

La mujer tomó un jarrón y se lo lanzó.

El jarrón pasó a través del espectro y se estrelló contra la pared.

—¡Ay, Dora, era el jarrón de la tía Eduviges! —lamentó socarrón el fantasma de su ex marido.

Fue demasiado para la señora Luna.

Y se desmayó.

El espíritu no esperaba esa reacción, porque se quedó bastante sorprendido. Sus ojos grandes y negros se hicieron más grandes y más negros. Se acercó a ella.

—Vaya, vaya —exclamó con voz normal.

A Sandra se le paró la respiración. El fantasma estaba a menos de medio metro de la mesita.

Miró a Laura y a Javier.

—Prepárense —les dijo mentalmente.

Javier estaba al pendiente, pero Laura no. Apenas veía al otro lado de la ventana.

El espectro se acercó a la mesita.

—Bueno, no importa —dijo—. Tengo todo el tiempo del mundo.

Y se rio de su gracia.

Pareció alejarse de su destino, pero, de pronto, descubrió las fotografías alineadas sobre la mesita. Eso fue decisivo.

Volvió a ella.

—Sólo un poco más… —imploró Sandra.

El espíritu del señor Hugo Méndez contemplaba las fotografías.

—Y además, es feo —protestó—. ¿Cómo pudiste enamorarte de él?

Llegó justo al centro.

Sandra apuntó su espejo.

Javier hizo lo mismo dos segundos después.

—¿Pero qué es...? —rezongó el espectro cuando sintió la luz.

Miró las dos ventanas.

—¡Ahora, Laura, ahora o lo vamos a perder! —gritó Sandra.

La ventana de Laura seguía igual.

—¡Maldición! —tronó la voz del espíritu.

Iba a salir. Iba a escaparse.

En ese momento, apareció el tercer destello.

Y los tres haces de luz convergieron en él.

—¡Nooo! —gritó el fantasma aterrorizado.

El espíritu se desvaneció, empequeñeciéndose poco a poco, mientras se retorcía intentando escapar del cerco, hasta que sólo quedó un punto luminoso y después...

Nada.

¡Lo habían conseguido!

10
El segundo espíritu

Estaban animados por su éxito, pero quedaban dos de tres, y eso seguía siendo mucho. Se reunieron en la puerta.

—Lo siento mucho —se disculpó Laura—. Es que casi...

—No importa. Lo que cuenta es que lo hiciste —la animó Sandra.

—¿Cuál será el siguiente? —preguntó Javier, valiente y decidido.

—Vamos a casa de la señora Gertrudis —propuso Sandra—. No está lejos.

Volvieron a correr, atravesando calles oscuras y silenciosas. El eco de sus pasos se esparcía por la noche. Confiaron en que nadie estuviera asomado a las ventanas. No podrían justificar su presencia en una noche como aquélla, solos y con el pueblo entero bajo la psicosis del miedo. Por suerte, no había grandes distancias, y menos para ellos.

Los tres se detuvieron en cuanto vislumbraron su nuevo destino.

—¡Miren! —señaló Laura.

La casa de Gertrudis Ferrer estaba a oscuras, pero en el piso superior, en una especie de torre o mirador, la luz era cegadora, parecía un faro.

—¿Qué estará pasando? —vaciló Javier.

—Pronto lo sabremos —dijo Sandra.

Caminaron hasta la casa con precaución. La puerta estaba cerrada, lo mismo las ventanas. Miraron arriba sin saber qué hacer ni cómo subir.

—Vaya problema —Laura comenzó a morderse el labio inferior.

Sandra rodeó la casa. Casi estaba por aceptar la derrota, cuando en la parte de atrás vio un árbol muy alto, más que la propia edificación, cuyas ramas se extendían muy cerca de la pequeña torre luminosa. Además, era muy frondoso.

—Arriba —señaló.

Subieron sin esfuerzo, con práctica, hasta situarse frente a la ventana de su objetivo. Era un pequeño estudio de trabajo. Lo que vieron en él, sin embargo, volvió a sobrecogerles el alma.

El espectro de Adela Ferrer estaba en el centro de la estancia, y su hermana Gertrudis, sentada en una butaca, se cubría la cara con las manos, horrorizada. Lo más extraño era que un sinfín de objetos danzaba por todas partes. La luz provenía de una hermosa lámpara de cristal que colgaba del techo, con cientos de lágrimas brillantes que aumentaban la luz del espíritu situado bajo ella.

—¡Oh, Gertrudis! ¿Por qué tenías que cambiarlo todo? ¡A mí me gustaba como estaba antes! ¡Seguro que mientras me estabas enterrando ya comenzabas a cambiar todo de sitio!

Empezó a reacomodar los objetos móviles por todas partes.

—¡Vete, Adela, eres insoportable, ya no te aguanto! —gritó la hermana viva.

—¡Desagradecida! —protestó la muerta.

—¡Eres peor ahora que en vida!

—¡Y yo creí que te alegraría volver a verme!

—¿Qué hacemos? —cuchicheó Javier.

—No podemos rodearla —convino Laura.

—Pero tal vez sea más fácil que antes —sonrió abiertamente Sandra.

Y dirigió su espejo directamente a la araña de cristal del estudio.

Al momento, la nueva luz se multiplicó por mil, bañando la estancia... y también el espíritu de Adela Ferrer.

—Pero... ¿qué demonios está ocurriendo...? —protestó el espectro de Adela Ferrer cuando sintió que comenzaba a desvanecerse.

Trató de salir de allí, pero no pudo. No eran tres espejos, sino miles, y muchos de ellos proyectaban los rayos en la proporción debida y el ángulo preciso. Si el primer marido de Dora Luna se había desvanecido en segundos, el de Adela Ferrer apenas se mantuvo allí otro más.

¡Zup!

—¡Ya llevamos dos! —suspiró Sandra, intentando relajar sus nervios.

ii
Cavando su propia tumba

Les llevó mucho más tiempo llegar a la casa de Celso, el mecánico, porque ni siquiera sabían dónde vivía y tuvieron que detenerse en una cabina telefónica con directorio para averiguarlo. Por la distancia, el trayecto fue más tenso, y esa presión se acrecentó al final. Sólo les quedaba un fantasma, y sentirse cerca del final de la pesadilla les alteraba los nervios.

Sin olvidar el miedo.

Seguían teniéndolo. Cualquiera de los espectros podía hacer algo imprevisible.

—Lo peor de todo es que nunca vamos a poder contar esto a nadie, ¡nos tomarían por locos! —suspiró Laura.

—Quizá podamos repetirlo con más fantas... —comenzó a decir Sandra.

—¡Estás loca! ¡Conmigo no cuentes! —exclamó Javier, categórico.

La casa donde vivía Celso el mecánico no era como las demás, sino un edificio de tres pisos, en un barrio muy sencillo del extremo norte del pueblo. Por lo menos respiraron tranquilos cuando vieron que él tenía su departamento en la planta baja. Pero los nervios volvieron cuando no encontraron a nadie.

Y además, la puerta estaba abierta.

Como si alguien hubiera salido por ella con gran precipitación.

—No está —advirtió Javier.

No hacía falta entrar. El silencio era lúgubre.

—Vamos al taller mecánico —ordenó Sandra.

Conocían el taller, porque estaba cerca del centro. El papá de las niñas llevaba allí el coche para que Celso lo reparara. De nuevo aceleraron el paso, porque el tiempo se les acababa. Si los papás notaban su ausencia…

—Si papá y mamá despiertan y no nos ven, se mueren del susto —Laura pensó en voz alta.

—Vamos, aprisa.

Echaron a correr, y llegaron al taller en siete minutos, jadeando y con el corazón en la boca. Esperaban encontrar el mismo resplandor que habían visto en casa de Gertrudis Ferrer, y las herramientas de Celso dando vueltas por el aire, pero se llevaron una gran desilusión porque allí no había nadie.

—Está claro: Celso huyó —dijo Javier.

—¿Con el espíritu de Raúl Durán? —casi se animó Laura.

—No, es imposible —Sandra frunció el ceño.

—Entonces, ¿dónde pueden estar?

—Se me ocurre en dónde. Vamos.

Sandra tomó la iniciativa, y Laura y su primo la siguieron. Tardaron muy poco en comprender hacia dónde se dirigía.

Al cementerio.

Una vez más.

—¿Por qué? —quiso saber Javier.

—Ese hombre, Raúl Durán, murió en un accidente. Si su fantasma le dijo anoche a la gente del pueblo que Celso era el culpable, su caso es diferente, porque se trata de una venganza. Adela Ferrer era insoportable, y Hugo Méndez, el marido de la señora Luna, muy celoso, pero tal vez Raúl Durán quiera algo más de Celso.

—¡Rayos! —exclamó Javier al comprender la idea de su prima.

Llegaron al camino del cementerio, y aun antes de aproximarse a la puerta, supieron que el espíritu de Raúl Durán estaba allí. Su resplandor destacaba en la noche cerrada y oscura como una luciérnaga en una planta.

—Cuidado —dijo Sandra—. No hagan ruido.

Saltaron el muro, y despacio, muy despacio, conteniendo la respiración, avanzaron a oscuras. Fue imposible evitar que Sandra pisara y rompiera una rama produciendo un chasquido que sonó como un trueno.

—Será mejor que ustedes dos me esperen en la puerta —razonó ella—. Yo iré a ver qué está pasando. Luego decidiremos qué hacer. Estén atentos, ¿eh?

—De acuerdo —convino Javier.

Laura y él retrocedieron. Sandra continuó avanzando. Como se guió por el resplandor del espectro, no tardó en llegar a su destino.

Lo que vio la hizo comprender la urgencia de su intervención.

Celso, el mecánico, estaba cavando una tumba.

Su propia tumba.

12
El frío de la muerte

Se veía que llevaban allí mucho tiempo, porque Celso ya había cavado el espacio suficiente como para que su cuerpo lo ocupara. El espíritu de Raúl Durán no se parecía en nada al de Adela Ferrer o al de Hugo Méndez. Brillaba mucho más, como si toda su energía fuera muy maligna.

—Sigue cavando un poco más —decía en ese momento—. Me gusta verte sufrir, asesino.

—¡No soy un asesino! —protestó Celso, temblando—. Hice bien mi trabajo. ¡Lo sé!

—¡Cava!

El mecánico hundió la pala y la sacó llena de tierra. Estaba muy asustado.

Sandra no supo qué hacer.

—¿Sabes? —el espectro continuó hablando—. No voy a helarte el corazón de golpe, lo haré despacio. Nosotros, los espíritus, podemos helar a las personas, apoderarnos de su alma unos segundos… y matarlas. ¿No lo sabías? Pues ya lo sabes. Entraré en ti, pero lo haré por las piernas, y subiré despacio, para que sientas, poco a poco, el frío contacto del fin. Así sabrás lo que yo sentí cuando mi coche se salió de la carretera.

—¡Habrá sido porque usted había bebido!

—Un par de copas, pero eso no mata. Fuiste tú.

—¿Un par de copas? ¿Entonces sí había bebido?

—¡Bah, cállate! ¿Qué más da? ¡Cava!

—¡No quiero cavar más! —se negó Celso echando la pala a un lado—. ¡Usted está loco!

El espectro se acercó. Su rostro, capaz de alargarse, contraerse, parecer cualquier cosa, se veía terrorífico. Lentamente se arremolinó a los pies de su víctima.

—¡No! —gritó Celso.

Sandra estaba aterida, y no de frío. No podía permitir aquello. Sería su culpa. Ella había sacado al espíritu de Raúl Durán del Más Allá. Pero… ¿qué podía hacer?

Miró el espejo que sostenía en su mano.

Debía volver por Javier y Laura, rodear al fantasma, eliminarlo antes de que…

—¡No! —volvió a gritar el mecánico.

—¿Sientes el frío? ¿Lo sientes?

Nunca conseguiría ir por ellos y regresar. Celso estaría muerto cuando volvieran.

Entonces lo hizo.

Impulsiva, como siempre.

Se agachó, tomó una piedra, salió de su escondite y se la arrojó al espectro mientras gritaba:

—¡Déjalo en paz, maldita sea, loco estúpido!

La escena se congeló. Celso cayó al suelo, desvanecido, y el fantasma de Raúl Durán miró a Sandra. La piedra lo atravesó.

—¿Tú? —preguntó el espíritu.

Sandra comprendió que estaba perdida.

Dio media vuelta, y echó a correr.

—¡No escaparás, tonta! —oyó que el fantasma gritaba detrás de ella.

Sus pies empezaron a volar por la tierra, sorteando tumbas, esquivando piedras o matorrales que no veía hasta tenerlos casi enfrente. Sandra tenía la certeza de que una caída sería decisiva, pero no podía ir más despacio. Su perseguidor tenía una ventaja adicional: volaba.

Pronto lo sintió en su espalda.

Estaba frío.

—¡Pequeña entrometida! ¡Gracias a ti estoy aquí, lo sé, pero no me gusta que me espíen ni me sigan! ¡Voy a helarte el corazón!

Una ráfaga del resplandor la alcanzó.

Empezó a entrar en su cuerpo.

Iba a apoderarse de ella.

13
El espejo roto

No cedió. Sabía que el miedo era su peor ene-migo. El frío de la muerte sólo la había tocado, amenazando con atraparla, pero aún no estaba en ella, y menos en su corazón.

—¡Javier! ¡Laura! —gritó.

El espíritu se echó a reír.

—¡Oh, así que están todos! ¡Bien! —cantó.

Ya casi tenía a Sandra, por eso frenó un poco. Ahora los quería a los tres juntos.

—¡Prepárense! —volvió a gritar Sandra—. ¡Él viene tras de mí!

A unos metros de distancia, vio, difusa, la puer-ta del cementerio. El terreno era peor que en la parte central, puesto que allí no había tumbas.

Trastabilló.

Estuvo a punto de caerse, pero mantuvo el equilibrio. Alcanzó el muro en tres zancadas. Ni siquiera lo escaló. Prácticamente pasó por encima de él.

—¡Ahí viene! —chilló antes de caer al suelo.

Se dio un golpazo tremendo en el hombro. Justo el del brazo en cuya mano sostenía su espejo.

La mano se abrió.

Y el espejo se le escapó.

—¡Oh, no! —gimió asustada.

Tenía que encontrarlo. Tenía que dar con él o de lo contrario…

Entre la zozobra y el pánico, escuchó las voces de Laura y Javier.

—¡Ahora, Sandra!

Los vio de reojo, mientras palpaba el suelo en busca de su espejo. Uno estaba a la derecha y el otro, detrás. Lo habían calculado muy bien, pero ella había fallado.

Era el fin.

—¡Bueno!, ¡qué tenemos aquí! —cantó feliz el fantasma de Raúl Durán, que se había detenido en lo alto del muro.

—¡Vamos, Sandra! —gritó Javier.

Lo enfocaban con sus espejos, la luz iba y venía, pero faltaba uno.

—¿Espejos? —aulló el espectro— ¡Maldita sea!

Raúl Durán se dispuso a saltar sobre Laura, que era a quien tenía más cerca.

Sandra rozó algo afilado.

¡El espejo!

Lo tomó y se cortó con él. No, no era el espejo, sino un pedacito de él.

¡Estaba roto!

De todas maneras lo sujetó. No medía más de dos centímetros, pero podía ser suficiente. Dio media vuelta sobre ella misma y, desde el suelo, apuntó al fantasma.

El tercer rayo de luz completó el triángulo.

—¿Pero qué...? —tronó la voz del espectro.

No se desvanecía. Resistía. Pero tampoco podía moverse. Sandra hizo un esfuerzo. Se puso de pie, despacio, procurando no perder la posición ni apartar el espejo un milímetro del fantasma. Cuando lo consiguió, dio un paso hacia él.

—¡Acérquense! —pidió a su hermana y a su primo—. Concentren la luz.

—¡Pandilla de mocosos!

El espíritu trató de luchar, pero ya no pudo.

Poco a poco, empezó a perder consistencia, a desvanecerse.

Tan despacio, que fue como un humo denso en un día sin viento.

—¡Oh, vamos, chicos, déjenme quedarme aquí... por favor! ¡Por...!

Sandra, Javier y Laura seguían ahí, firmes, casi un minuto después de que el tercero de los espectros se hubiera evaporado.

14
¡Salvados!

Sandra fue la primera que dejó caer el pedazo de espejo. Su herida sangraba, pero no le dolía.

Hubiera gritado de alegría, no de dolor.

—¡Lo conseguimos! —exclamó Laura.

—¡Por un pelo! —suspiró Javier, temblando.

Se acercaron a Sandra, y los tres se abrazaron, fuerte, muy fuerte. Permanecieron así bastante rato, hasta que oyeron un ruido. Primero se alarmaron, y fueron a esconderse. Después vieron a Celso, el mecánico, saltar el muro a unos metros de donde se encontraban. No revelaron su posición. Sandra estaba segura de que, con su desmayo, Celso no había notado su presencia. Nadie tenía por qué enterarse del asunto.

Celso ya corría en dirección al pueblo.

—Bueno —suspiró Sandra—. ¡Esto ha terminado! ¡Por fin!

—Menos mal —dijo Laura.

—Si hubiéramos liberado a una docena de espectros... —tembló Javier.

—Lo hicieron muy bien —agradeció Sandra—. Casi me atrapa... —se estremeció— si no hubiera sido por ustedes.

—Creo que será mejor que nos vayamos a la casa —aconsejó Laura.

—Si sus papás ya despertaron, nos irá muy mal, y si no, hay que dormir un poco —convino Javier.

—De acuerdo, vamos.

Tomaron el camino de regreso con una extraña sensación de libertad. Nunca habían tenido menos miedo. Lo mejor fue llegar a casa y comprobar que los papás de Sandra y Laura todavía dormían en el sofá.

Cuando cerraron los ojos, la sensación de libertad seguía anidando en sus corazones.

Nunca se habían sentido mejor ni más felices.

15
El espíritu del loco Pipo

Sandra fue la primera en abrir los ojos. Laura dormía a su lado, y Javier en el colchón que habían dispuesto en el suelo, para acompañarse y que no les diera miedo. La presencia de ambos en su habitación le hizo recordar, de pronto, lo sucedido la noche anterior.

Se incorporó de un salto.

El corazón le latía con fuerza en el pecho.

Pero no tenía nada que temer. Ya no. Habían vencido a los tres espíritus. Los habían devuelto al Más Allá de donde procedían y nunca debieron haber salido.

Lo malo fue liberarlos a ellos en lugar de algún fantasma bueno, por ejemplo, el de su abuela.

Le encantaría volver a verla.

Bueno, ahora que ya dominaba la técnica de...

Se levantó de la cama apartando la idea de su mente. No, los experimentos se habían terminado. La vieja Elda se lo había dicho: es peligroso jugar con las ánimas. Fuerzas misteriosas, poderes ocultos, energías brutales... Demasiado para ella, y lo mismo o más para Laura y Javier.

Antes de meterse en el baño, fue a asomarse a la ventana.

La calle estaba aún más revuelta y alborotada que la mañana anterior.

—¿Qué pasó? —se preguntó extrañada.

No podían ser los tres espíritus. Imposible.

—Laura, Javier, levántense.

Su hermana se dio la vuelta, pero nada más. Su primo lanzó un ronquido.

—¡Levántense! ¡Algo está pasando!

Esta vez, los dos saltaron como impulsados por un resorte. Sandra los aguardó en la ventana. Ni el peso del sueño ni el cansancio de sus aventuras nocturnas evitó que los dos abrieran los ojos como platos ante la escena.

Gritos, carreras, coches arriba y abajo con gente cargando maletas; policía, histeria, miedo... locura.

—Esta vez nuestros tres fantasmas no han sido los culpables —dijo Javier.

Tenían que averiguarlo, así que se vistieron a toda prisa y descendieron por la escalera saltando los peldaños de tres en tres. Cuando salieron por la puerta, un grito los frenó en seco.

—¡No se muevan de allí!

—¿Qué pasa, mamá? —preguntó Sandra cada vez más alarmada.

—No fueron la señora Luna, ni la señora Ferrer ni Celso, ¿verdad?, porque estaban bien cuando… —dijo Laura.

Sandra le dio un golpe discreto para que ya no metiera la pata.

Por suerte, su mamá estaba demasiado exaltada y no escuchó el comentario.

—¡Es de locos! —gritó la mujer—. ¡Ha de tratarse de una maldición o algo así!

—¿Una maldición? —la apremió Sandra.

—¡Toda la ciudad es un verdadero caos! ¡Esta mañana los semáforos funcionaban al revés, a lo loco. Hay dos casas bocabajo, y el puente ha desaparecido! ¡El puente!

No tenía sentido. Era absurdo. Cuando ellos se acostaron todo estaba en calma.

—¿Estás segura, mamá?

—¿Que si estoy segura? ¡Es como en los peores tiempos del loco Pipo! ¡Si no fuera porque está muerto y bien muerto! ¡Ay!, ¿pero qué hemos hecho para merecer esto?

Sandra y Laura se miraron entre sí, boquiabiertas. Javier las miró con curiosidad.

—¿Quién es el loco Pipo? —preguntó.

16
De vuelta a la pesadilla

La ciudad, desde luego, era un caos.

En una calle había una docena de coches apilados, uno encima de otro. Todos los artículos de la tienda de don Abelardo estaban perfectamente alineados... pero en el aire, y en plena banqueta, no en la tienda como debía ser. Una de las casas que estaban bocabajo se mantenía en equilibrio sobre la chimenea, y su dueño, el pobre señor Fernández, estaba atrapado. Los bomberos estaban intentando sacarlo. Los semáforos cambiaban de color inesperadamente, y esto volvía el tráfico caótico e imposible. El monumento al gran jefe indio Potumatepec estaba al revés, y ahora el gran jefe indio era quien sostenía al caballo.

La suma de barbaridades era alucinante.

—Desde luego parece cosa de Pipo, pero a lo bestia —calculó Sandra.

—¿Quién diablos es ese tal Pipo? —volvió a preguntar Javier.

—Un loco —dijo Laura.

—Un loco bromista —suspiró Sandra— que con el tiempo se hizo peligroso y muy cruel.

—Vivía en el pueblo, en las afueras, solo. Por eso se volvió así —prosiguió Laura.

—Primero la gente le festejaba las bromas, siempre y cuando se las hiciera a los demás. Luego empezó a tomárselo más en serio, y sus bromas se volvieron cada vez más peligrosas. Finalmente, el rechazo fue general. Entonces Pipo hizo una de las suyas y, por su culpa, murieron varias personas.

—¡Caramba! —dijo Javier.

—Lo enjuiciaron. Su caso fue muy sonado en el pueblo —recordó Laura.

—Y lo declararon culpable, pero se escapó durante el traslado a la cárcel. Como iba esposado, se cayó del puente y se ahogó.

—¿El mismo puente que hoy desapareció?

—Sí —le dijo Sandra a su primo.

—Pero es imposible que ese tal Pipo… ¡Sólo había tres tumbas! ¡Lo vimos!

—Por eso vamos al cementerio —dijo Sandra—. Debemos estar seguros.

—Y hay que ir rápido —aconsejó Laura.

Su madre había sido explícita al prohibirles salir mientras ella iba a comprar provisiones, por si la situación se volvía más complicada.

—Ya estoy empezando a odiar este cementerio —rezongó Javier al divisarlo de nuevo.

Apretaron el paso hasta acabar corriendo. El lugar en el que habían aniquilado al tercer espíritu, el de Raúl Durán, seguía tal cual. Sandra vio los restos del espejo roto en el suelo. Saltaron el muro y se encaminaron al sitio donde todo había empezado. La escena era la misma: el árbol calcinado, las tres tumbas con sus lápidas...

Las examinaron.

Nada.

Hasta que Sandra pasó por detrás, justo al pie del árbol.

Entonces comprendió todo.

—¡Oh, no! —exclamó abatida.

Laura y Javier la alcanzaron.

Había una cuarta tumba, sin lápida. Por eso no habían reparado en ella el día anterior. Pero en una pequeña cruz, también calcinada por el rayo y caída sobre la tierra, podía leerse el nombre de su dueño:

"Roberto Carlos Eduardo Lomelí, Pipo".

El loco Pipo.

Su espíritu estaba suelto.

La pesadilla continuaba.

17
El nuevo peligro

Elda los miró con gravedad. Luego los dejó pasar y cerró la puerta. Sandra, Laura y Javier se sentaron bajo aquel opresivo silencio, y esperaron a que la anciana tomara la iniciativa. Pero la vieja siguió mirándolos con forzada calma. El desasosiego hizo mella en ellos.

Se movieron como ratones en una jaula.

—Está bien, lo sentimos —Sandra fue la primera en hablar.

—No es suficiente con sentirlo, querida niña —espetó la mujer.

—Devolvimos a los otros tres a su mundo, ¿no? —se defendió Javier.

—Y en una noche —agregó Laura.

Elda suspiró, negando con la cabeza.

—Armaron un gran lío.

—Fue un accidente —protestó Javier.

—Esta noche acabaremos con él —prometió Sandra—. Sólo queríamos saber si estará prevenido de lo que hicimos con los otros espectros o algo así, por precaución.

—¿Ustedes creen que es tan fácil? —pareció burlarse Elda.

—Lo fue con Raúl Durán, Adela Ferrer y el señor Hugo —dijo Sandra sin poder evitar un estremecimiento que la delató.

Sobre todo por lo cerca que estuvo la persecución final.

—Los locos son distintos, querida —anunció la mujer—. Y Pipo era el más peligroso de los locos que he conocido.

—¿Quiere decir que…?

—Esta vez es distinto —continuó las palabras de Laura—, pues corren peligro, mucho peligro. Primero, porque Pipo es imprevisible, y segundo, porque a diferencia de los otros tres, él puede hacer cualquier cosa. El mundo entero es su objetivo.

—¿Sabe que los otros tres volvieron?

—Sí, lo sabe.

—¿Hay otras maneras para lograr que un espíritu regrese al Más Allá? —quiso saber Javier.

—La de los espejos es la más simple. Las otras son muy complicadas.

—¿Cuáles son?

—Enterrarlo de nuevo en su tumba.

—¿Cómo? —insistió Sandra.

—Yo les digo las maneras; cómo lo hagan es otra cosa. Pero desde luego, y en este caso, únicamente ustedes, que lo han traído a este mundo, podrán devolverlo al suyo.

—¿Existe alguna otra manera de enterrarlo? —preguntó Laura, impresionada.

—Un espíritu está hecho de energía, por eso brilla y es como un destello de luz. Claro que su energía es mínima, pequeñísima, pero es energía al fin y al cabo —dijo Elda despacio—. Si lograran magnetizarlo, hacer que su esencia se convirtiera en un pararrayos... y consiguieran que un rayo le cayera encima...

—¡Pero eso es imposible! —saltó Sandra.

Se encontró con los ojos acerados y duros de la anciana.

Ellos habían causado el problema. Cualquiera tenía derecho a sentirse molesto o enfadado o algo peor. Bastante hacía con ayudarles.

—Haremos lo que podamos —suspiró Sandra.

—Esta vez deberán hacer más que eso —el tono en la voz de Elda sonaba más afable, casi triste, como si no confiara mucho en sus fuerzas pese al éxito de la noche anterior. También los miró con mayor simpatía—. Ayer no les dije algo que tal vez debí haberles revelado.

—¿Que si uno de esos espíritus se mete dentro de nosotros y nos hiela el corazón, se acabó?

—¿Lo sabes?

—El último espectro se lo dijo a Celso, y casi me hiela a mí —confesó Sandra.

—Pues entonces ya lo sabes. Cuando un espíritu te hiela el corazón, te roba el alma y deja tu cuerpo como el de un zombi.

—¿Para… siempre? —se estremeció Laura.

—Sólo hasta que el espíritu vuelva a su tumba o al Más Allá, de donde procede. Entonces esa alma regresa a su cuerpo.

—Todo esto suena muy complicado —resumió Javier, abrumado.

—Pero nadie va a descansar en paz con el espíritu de Pipo aquí suelto, hijo —manifestó Elda—. Complicado o no, es una lucha que deben llevar a cabo. Ustedes y nadie más. Ahora tienen una responsabilidad que no pueden eludir.

—Y si nos helara el corazón a los tres, ¿qué pasaría? —preguntó, de pronto, Laura.

Los tres la miraron, y luego Sandra, Javier y Laura vieron a la vieja Elda.

Nadie dijo nada.

No era necesario.

Conocían la respuesta.

18
¡El espectro en casa!

Ese anochecer estaba más lleno de malos presagios que el anterior, porque la situación era mucho más dramática que la de la noche previa. Veinticuatro horas antes, tres fantasmas asediaban a tres personas asustadas. Ahora, el espectro de un loco peligroso andaba suelto aterrorizando al pueblo entero. Y luego el mundo sería un lugar pequeño para él y sus locuras.

Desde la ventana, vieron cómo sus vecinos empezaban a cerrar las suyas.

—¡Apártense de ahí! —gritó la mamá.

—Déjanos, mamá —protestó Sandra.

—¡Qué déjanos ni qué nada! ¡Quiero que cierres esa ventana inmediatamente!

—Sandra, puede que esto te parezca un juego, pero te aseguro que es serio, muy serio —la señaló su padre con el dedo.

A quién se lo decía.

Sabía MUY BIEN que iba en serio.

—¿Podemos subir a mi habitación? —trató de evadirse de aquella presión insostenible.

—Sí, pero cierra la ventana y baja la persiana.

—Ya está cerrada y bajada —respondió ella con fastidio.

¿Y si les contara que habían acabado con los tres primeros fantasmas, y que sólo ellos podían hacer lo mismo con el cuarto?

No. Para empezar no le creerían, y para terminar la vigilarían aún más, pensando que también se había vuelto loca.

Los padres no entienden esas cosas.

Subieron, y una vez en la habitación, se acercaron a la ventana para ver el anochecer y tratar de encontrar por alguna parte el resplandor del fantasma de Pipo.

Un fantasma que, a diferencia de los otros tres, podía estar en cualquier parte.

Quizás a mil kilómetros de allí.

—¿Cómo haremos para salir esta noche? —se preguntó Javier.

—Se dormirán, como la pasada. Tal vez nosotros deberíamos hacer lo mismo un rato, para estar más despejados después —aconsejó Sandra.

—¿Tú tienes sueño?

—No, nada.

—Yo no podría dormir —aseguró Laura.

Continuaron mirando por la ventana. En unos minutos, las calles quedaron vacías, y la oscuridad se hizo más y más patente a medida que la noche se abría paso a su alrededor. Después, un silencio mortal sobrevoló el pueblo.

Era más frío que aquella sensación de Sandra cuando el espectro de Raúl Durán la tocó.

Laura fue a la puerta. La entreabrió y oyó con claridad el susurro de sus padres. Seguían despiertos. Se sentó en la cama, abatida, con los ojos clavados en el suelo. Javier fue a sentarse a su lado. Sandra fue la última en seguirlos.

Los tres permanecieron un rato en silencio, sumidos en sus pensamientos.

De espaldas a la ventana.

Así que ni siquiera notaron aquel resplandor, que se hizo más y más vivo a medida que se aproximaba, no desde la calle, sino desde arriba.

No lo vieron hasta que la luz entró en su cuarto.

Pero la voz fue la que los hizo pegar un salto.

—Hola, amigos míos, ¡ya estoy aquí!

¡El espíritu del loco Pipo estaba allí!

19
El fantasma ataca

Javier y Laura voltearon, aterrados. Sandra lo hizo más lento, como si la luz la hubiera serenado y la voz de Pipo fuera una continuación esperada.

En el fondo, quizás lo estuviera esperando.

Pipo pareció divertirse con la escena.

—Vaya —dijo—, no parecen gran cosa. Ni para traernos aquí, ni para hacer que mis tres colegas volvieran anoche a sus tumbas.

A Javier le castañeaban los dientes. Laura estaba a punto de llorar. Sandra les tomó las manos para tranquilizarlos.

—¿Qué quieres? —le preguntó.

—¿Qué quiero? ¿Yo? Veamos… ¿qué quiero? —Pipo iba de un lado a otro, como si caminara, extendiendo su vaporosa luminosidad por abajo, a modo de piernas, mientras fingía bajar la cabeza y pensar. Se veía ridículamente horrible. Al final se detuvo y volvió a mirarlos—. Querer, lo que se dice querer, no quiero nada. Sólo deseaba conocerlos y darles las gracias.

—¿Por qué? —balbuceó Laura.

—Por sacarme de allí —se estremeció—. ¡Oh!, algunos dicen que se está muy bien, pero no dejan hacer nada, ¿entienden? Y yo soy un tipo inquieto, lo que se dice un… espíritu activo —se rio de su gracia—. Esto es mucho más divertido.

—Tú no eres de este mundo —objetó Javier.

—Yo diría que ahora sí, porque estoy aquí.

—¡Volveremos a sacarte! —Laura se dejó llevar por un repentino ataque de ira.

El espectro se le acercó. Sandra intentó detenerlo, pero su mano pasó a través de su fría inconsistencia. El fantasma no se detuvo hasta casi pegar su luminosa cara a la de la menor de los tres.

—Mira, renacuaja —le advirtió—. Estoy contento y en deuda con ustedes, así que no voy a ser desagradable, a menos que lo sean conmigo. ¿Comprendes? Soy un fantasma generoso. No quiero hacerles daño. Me sería fácil helarlos aquí mismo, y adiós problemas, pero tengo mi corazoncito —se rio por la broma—, y aún mantengo la sensibilidad. Vamos, soy un tipo agradecido. Así que estarán bien y no les tocaré un pelo, ¿de acuerdo?

Se hacía el simpático. Y cuanto más simpático, más miedo les daba. Había sido un loco peligroso en vida, y era un loco peligroso en espíritu. Todos corrían peligro con aquella cosa suelta.

—Así pues, asunto arreglado —entrechocó sus manos, y una atravesó la otra, sin hacer ruido. Disfrutaba sus diabólicas payasadas—. ¡Oh, casi me hago un nudo! ¡Cómo soy!

—Patéti...

Sandra le puso una mano en la boca a Laura.

—¿Qué iba a decir?

—Nada.

—¿Estás segura? —su tono era amenazador.

—Vete —pidió Sandra.

—Sí —suspiró el fantasma—. ¡Es tarde y tengo tanto que hacer! Hoy visitaré a los viejos amigos, y luego pondré en práctica mi gran plan.

—¿Qué plan?

—Cosas mías. Y no seas curiosa, niña.

—Quizá pueda ayudarte —le propuso Sandra.

—Oh, oh, muy astuta —cantó Pipo—. ¿Qué tramas, eh? Me parece que a fin de cuentas lo mejor sería que los helara y me olvidara de ustedes.

—No, no lo harás —dijo Sandra más segura—. Necesitas público, y como nosotros te liberamos y sabemos qué pretendes, somos tu público.

—Me agradas —soltó una carcajada—. Cuando te mueras, trata de volver en forma de espectro. La pasaremos muy bien.

Se acercó a la ventana. No pasó a través de ella. Buscó un agujero pequeño que había en el ángulo de uno de los cristales. Empezó a filtrarse por él.

—Puedo meterme por todas partes —justificó su acción—, pero tienen todo tan sucio, que siempre queda algo, aunque yo sea esencia y la porquería sea materia. Prefiero evitar contactos.

Recordando la conversación con Elda, Sandra pensó en el plomo o en algún metal denso, lo único que el fantasma no podía atravesar, pero lo olvidó al desaparecer Pipo. También olvidó seguir tapándole la boca a Laura.

—¡Maldito montón de humo luminoso! —gritó la niña saltando de la cama—. ¡Sólo eres un pedazo de burro petulante y…!

Sandra intentó callarla.

Javier aún estaba paralizado, muerto de miedo.

Fue demasiado tarde.

El espíritu de Pipo atravesó la pared. Les había puesto una trampa perfecta, y Laura había caído en ella.

—¡Se lo advertí!

El espectro pasó a través de Laura y, al instante, ella se quedó blanca como la cera, con los ojos abiertos, muy quieta, como una muerta en vida.

Una zombi.

20
¡Sin alma!

Sandra se abalanzó sobre Pipo.

—¡Te odio! —gritó.

El espíritu se abrió de arriba abajo, y Sandra tan sólo pasó a través del hueco que se hizo en medio. Terminó chocando contra la pared, y se dio un buen golpe. Quedó aturdida.

—¿Tú también tienes ganas de divertirte? —le preguntó el fantasma a Javier.

—Nn...oo —balbuceó el niño.

De la parte baja de la casa surgió una voz, tal vez alertada por el grito o por el impacto.

—¡Niños!, ¿están bien?

Sandra y Javier miraron la puerta, asustados.

—¡Sí, tía! —reaccionó Javier.

Haciendo un gran esfuerzo para recuperarse, Sandra abrió la puerta unos centímetros.

—Estamos jugando, mamá —mintió.

Oyó la voz del papá:

—¿Ves? ¡Son unos irresponsables! ¡El pueblo entero en crisis y ellos jugando!

—Son sólo unos niños, querido —los defendió la mamá.

Sandra cerró la puerta.

Laura continuaba de pie, pálida, inmóvil, con los brazos caídos y los ojos muy abiertos.

—Devuélvele la vida —suplicó Sandra.

—¡Oh!, eso no puedo hacerlo —lamentó con falso pesar Pipo—. Una cosa es quitar y otra dar. Si hubiera sido más lista… Tú… ¿eres lista?

—Sí —se apresuró a responder Sandra.

—Está bien —suspiró fingidamente el espíritu del loco—, no quiero más problemas. Tengo muchas cosas que hacer y se me hace tarde. Bien pensado. Sí, creo que ya no visitaré a los amigos y haré algo muchísimo más divertido, para que todos PAR-TI-CI-PEN —esto último lo dijo muy despacio—. Mañana será un gran día.

Fue de nuevo hacia el agujero del cristal.

—¿Adónde vas? —lo detuvo Sandra.

—No voy a decírtelo, pequeña. No es que no confíe en ti, de verdad.

—Eres capaz de helarles el corazón a todos los del pueblo —dijo Sandra.

—No, eso es algo demasiado directo —el espectro rechazó la idea—. Pero una buena diarrea local, un gran cólico mayúsculo… ¡eso sí que sería genial! ¡Todo el pueblo en el baño a la misma hora, y peleándose por entrar en uno! ¡Fabuloso!

Dejó de hablar, como si de pronto temiera haber dicho demasiado. Lo meditó un par de segundos, y decidió que no, que su secreto seguía a salvo.

Sandra ya no se arriesgó más.

—Ha sido un placer —se despidió Pipo.

Comenzó a filtrarse por el agujero del cristal, y desapareció en un abrir y cerrar de ojos.

Esta vez, ni Javier ni Sandra se movieron hasta estar seguros de que se había ido.

Tampoco hablaron.

Luego se acercaron a Laura.

Sandra rompió a llorar, abrazando a su hermana. Javier tenía un nudo en la garganta.

—¿Qué le diremos a mis papás? —sollozó ella.

—No lo sé —reconoció él.

—¿Laura?

Le pasó una mano por la cara, pero los ojos de su hermana siguieron inmóviles.

—Acostémosla. Tal vez mañana se nos ocurra algo —dijo Javier.

Sandra caminó hasta el otro extremo de la habitación.

—Laura, ven aquí —ordenó.

Su hermana caminó en su dirección.

—¡Vaya! —Javier se quedó boquiabierto.

—Los zombis obedecen órdenes, son conscientes, pero actúan como autómatas, sin alma.

—Eso no nos sirve de mucho, ¿verdad?

—No —reconoció Sandra.

Volvieron a mirar a Laura, más y más apesadumbrados. Luego la acompañaron a la cama. Estaba fría. Muy fría. La metieron en ella y la taparon con la sábana, por si los papás subían.

—Y ahora, ¿qué vamos a hacer? —preguntó Javier suspirando.

Ni siquiera Sandra tenía una respuesta.

21
Planes desesperados en la noche

Una hora después, con el pueblo en aparente calma, los papás de Sandra y Laura subieron a ver cómo estaban. Sandra fingió que dormía, y procuró tapar a Laura por si ellos se acercaban a darles un beso. Javier les dijo a sus tíos que estaban muertos de sueño.

—Nosotros también vamos a acostarnos. Estamos rendidos. Si sucede algo, cualquier cosa, griten —les dijo el papá.

En cuanto cerró la puerta, Sandra saltó de la cama como resorte.

Era el momento de la determinación.

—No podemos quedarnos aquí sin hacer nada, con Laura así —fue lo primero que Sandra dijo.

—Todo el pueblo va a terminar igual, como zombi —masculló Javier, abatido.

—No, porque nosotros vamos a acabar con ese loco.

—¿Cómo? Ya ni siquiera somos tres para encerrarlo entre espejos.

—Hace un rato tuve una leve intuición… —dijo Sandra muy despacio, mirando a su alrededor.

—¿Intuición? ¿Sobre qué?

No le contestó de inmediato. Se levantó y caminó hacia su mesa de estudio. Abrió el cajón superior, luego el primero de la derecha, después el primero de la izquierda. Se quedó observando algo, pensativa. Cuando lo sacó, Javier vio que era una caja de metal.

—No es de plomo —dijo él, adivinando sus pensamientos.

—No, pero mira —se la mostró.

El interior estaba forrado con papel aluminio.

—¿Servirá? —dudó el chico.

Sandra se la guardó en el bolsillo del pantalón. Siguió buscando, ahora con mayor decisión.

—Yo tenía uno por aquí, estoy completamente segura… —musitó nerviosa.

Javier esperó. En el tercer cajón de la derecha, su prima encontró lo que parecía buscar.

Un pequeño imán.

—¿De qué nos va a servir todo esto? Ni siquiera parece que vaya a haber una tormenta esta noche.

—No lo sé, pero algo me dice que…

Sandra estaba pensativa, con gesto absorto.

—¡Ni siquiera sabemos dónde está! —insistió Javier desesperado.

Esta vez se encontró con la mirada inteligente de su prima.

—Tal vez sí —dijo ella.

—¿Ah, sí?

—Dijo que, mañana, todo el pueblo tendría un cólico mayúsculo.

—¿Y qué?

—Piensa, Javier: ¿Qué es lo único que todos los del pueblo hacemos cada día?

—Nos levantamos, nos vestimos, respiramos, comemos… cosas así.

—Más.

—No sé…

—¿Qué provoca una diarrea?

—Comer y… —Javier se puso muy pálido— ¡BEBER!

—¡Exacto! —dijo Sandra—. Cada quien come lo que quiere, pero como el agua del pueblo es buena, nadie la compra embotellada. Sólo abrimos la llave y ya.

—¡Los depósitos de agua! —exclamó Javier emocionado.

Sandra asintió con la cabeza.

—Seguramente el fantasma de Pipo fue allí para echar algo en el agua.

El rostro de Javier volvió a ensombrecerse.

—Bueno, ¿y qué? Seguimos sin poder luchar contra él.

—No estés tan seguro —insistió Sandra con una chispa de valor en los ojos.

—¿Con una caja metálica y un imán?

—No tengo tiempo de explicártelo. Toma las linternas —ordenó ella.

Al decir esta última palabra, Laura también se puso de pie.

—No podemos llevárnosla —vaciló Javier.

—Ni dejarla aquí sola.

Los tres salieron de la habitación.

22
Agua milagrosa

Descendieron a la planta baja sin hacer ruido. No hubo que ayudar a Laura. Zombi o no, se movía como ellos, y hacía lo mismo que ellos. Aun sin voluntad, estaba viva. Lo único terrible, duro y amargo, era mirarla. Sobrecogía verla sin alma, tan blanca y con los ojos tan abiertos.

Sandra no caminó a la puerta de entrada, sino a la cocina.

—¿Adónde vas? —cuchicheó Javier.

—Por un vaso.

—¿Qué? ¿Para qué quieres un vaso?

Sandra no se lo dijo. Probablemente su idea era tan absurda, que no valía la pena compartirla. No buscó un vaso normal, sino uno de cuando iba de campamento a la montaña. Un vaso de plástico extensible con una tapa que cerraba por arriba. También se lo guardó en el bolsillo de su pantalón, al cual le podía guardar aún más cosas.

—¡Vamos!

Salieron y cada uno tomó a Laura de una mano, no por temor a perderla, pues ella los seguía como una sonámbula, sino para acelerar la marcha. El espíritu de Pipo les llevaba mucha ventaja. A lo mejor ya había llevado a cabo sus planes y llegarían demasiado tarde.

—¿Dónde están los depósitos de agua del pueblo? —preguntó Javier.

—Al sur, pero antes vamos a hacer algo más.

—¿Algo más? ¿Quieres decirme de una vez qué loca idea tienes en la cabeza?

—Pronto lo entenderás, ¡corre!

Echaron a correr en dirección al centro. Las calles volvían a estar desiertas, como la noche anterior, aunque a veces podían sentir los ojos de los habitantes del pueblo espiándolos, ocultos tras puertas y ventanas. La calma era insoportable, como si estuvieran en un pueblo fantasma.

Llegaron a la fuente, por la que salía el mismo chorrito de agua de siempre. Al leer de nuevo la conocida inscripción "Fuente del Gran Poder. El agua con más hierro del mundo", a Javier se le desorbitaron los ojos.

Sandra observó la cara de su primo.

—¿Ahora entiendes? —lo interrogó Sandra.

Javier ahora sí comprendió, pero le parecía una locura temeraria.

—Es imposible que ese plan salga bien —dijo descorazonado.

—¿Tienes una idea mejor?

—No —reconoció él.

—Entonces pondremos ésta en práctica. Vamos, bebe agua de la fuente.

—¿Nosotros también?

—Si Pipo pasa a través de mí o de ti, también tomará parte de nuestra esencia —indicó Sandra.

Javier la obedeció, y bebió una buena cantidad de agua. Después lo hizo Sandra. Al terminar, llenó el vaso e hizo beber a su hermana. Cuando los tres estuvieron saciados, ella llenó el vaso y lo cerró.

—Ahora sí —suspiró Sandra—. ¡Vamos!

Y los tres se encaminaron a los depósitos de agua del pueblo.

Para tener allí lo que quizá fuera la lucha más decisiva de toda su vida.

23

Cara a cara con el fantasma

Los depósitos estaban tan desiertos como las calles del pueblo. Nadie los vigilaba. Aunque estaban protegidos por una puerta metálica y una valla los separaba del interior, los niños entraron sin problemas. La valla no estaba electrificada, como en las películas, ni la puerta tenía un candado de seguridad. Lo más difícil fue guiar a Laura, pero entre los dos la ayudaron a sortear todos los obstáculos. Amontonaron piedras y unas cajas vacías, y subieron por ellas para escalar la valla. Sandra tuvo que darle el vaso a Javier.

—Ten mucho cuidado, que no se te derrame —le advirtió a su primo.

Javier se lo guardó en el bolsillo.

Cuando estuvieron dentro, trataron de orientarse en la oscuridad. No se alcanzaba a ver mucho, pero sería muy temerario encender las linternas.

—Por ahí —indicó Sandra. Era quien mejor conocía las instalaciones—. Nos trajeron a conocer el lugar el año pasado.

—Menos mal.

Se movieron despacio, con cautela infinita. Dos veces creyeron ver un resplandor saliendo de alguna parte, delante de ellos, pero como también pudo ser un reflejo o una ilusión, ambos callaron. Al llegar a las instalaciones, detrás de las cuales se encontraban los grandes depósitos de agua que era extraída de los pozos subterráneos, se movieron con mucho más sigilo.

Abrieron la última puerta.

Y entraron.

El espíritu de Pipo estaba allí.

Había varios tanques de agua enormes, y por encima, pasadizos metálicos y plataformas, algunas móviles, aunque ahora, sin nadie en la cabina de mandos, permanecían detenidas. Con su luz, el espectro iluminaba el lugar propagando un sinfín de sombras que oscilaban por el leve movimiento del agua. Todo tenía un oscuro color azulado. Flotar en medio de aquel conjunto de tanques de metal y agua le confería al fantasma un aspecto extraño, casi celestial, si no hubiera sido porque se trataba de todo lo contrario.

Junto a Pipo, flotaban algunas cajas.

—¡Va a echar el contenido al agua! —susurró, alarmado, Javier.

—Y mañana todo el pueblo se enfermará, ¡qué patán! —dijo Sandra.

El espíritu de Pipo cantaba, feliz.

No entendían cómo un fantasma podía mover cosas, pero así era. Recordaron la extraña danza de objetos en casa de Gertrudis Ferrer. Tal vez sólo se trataba de una cuestión de energía. Sandra se acordó de una película que había visto en la televisión: *Poltergeist*.

Claro que una cosa era mover objetos pequeños, y otra aquellas cajas más grandes y pesadas. A Pipo le costaba mucho.

—Vamos, ¡vamos! —se animaba—. Necesito más concentración…

Ésa era la causa de que aún estuviera allí. Las cajas, unas en una plataforma y otras flotando en el aire, no eran fáciles de manejar para un ente inmaterial. Y había tenido que llevarlas hasta los depósitos desde donde las había sacado, tal vez el almacén de don Abelardo.

Fuera como fuera, no tenían mucho tiempo.

La primera caja estaba muy cerca del borde del primer tanque de agua.

—¿Cómo llegaremos hasta ahí arriba sin que nos vea? —susurró Javier.

—No sé —Sandra mordió su labio inferior.

—¿Y si uno lo distrae por delante mientras el otro sube por atrás?

—¿A poco crees que un espíritu solamente ve en una dirección?

Se miraron abatidos el uno al otro.

Luego volvieron a mirar a Pipo.

Es decir, hacia el lugar en el que un segundo antes habían visto el espíritu del loco vengador.

Porque ya no estaba allí.

—Pero… —rezongó Sandra.

—¿Adónde se ha ido? —balbuceó Javier.

La respuesta no se hizo esperar. La oscuridad quedó súbitamente rota por la aparición de un fulgurante resplandor detrás de ellos. Antes de oír su voz, ya sabían que el espectro estaba allí.

Y que los había descubierto.

—¡Hola, enanos! ¿Qué hacen aquí?

24
Sola contra el espectro

Se giraron lentamente.

Los tres, incluso Laura.

Estaban perdidos.

No les gustó la cara del espíritu. Parecía sonreír, pero no era más que un efecto. En realidad se veía siniestro, con sus grandes ojos o, mejor dicho, huecos, llenos de negrura y Más Allá, y su aspecto enfermizo, como de momia brillante, el cuerpo etéreo, sin forma definida. Todo el miedo que Sandra y Javier habían masticado despacio en las últimas horas, acostumbrados al trato con los fantasmas, se les apareció convertido en un sudario mortal.

Sabían que no iban a salir de aquel lío.

—¿Están sordos? ¿Qué hacen aquí?

—Nosotros…

—No me digan que estaban dando un paseo y que, casualmente, me han encontrado, porque no les creeré —advirtió.

—En realidad… —Sandra buscó una salida desesperada— queríamos verte.

—¿Por qué?

—Eres más divertido que todas las personas que conocemos.

El espíritu guardó silencio unos segundos.

—Me estás tomando el pelo —dijo finalmente.

—Ya no tienes —le informó Javier.

Pasaron otros dos o tres segundos.

Luego el espectro empezó a agitarse.

Tardaron en comprender que se estaba riendo.

—Eso estuvo muy bien, ¡sí, señor! Tienes sentido del humor, muchacho.

—Si vienes con nosotros al cementerio, podríamos liberar a quien tú nos digas. Así no estarías solo —propuso Sandra.

—No necesito compañía —se acercó tanto a ella, que la niña sintió su fría presencia—. ¿Y para qué quieres que te acompañe al cementerio, eh? ¿Qué clase de loca idea tienes en la cabeza?

—Ninguna.

Pipo ya no reía. Volvía a verse muy siniestro.

—Creo que, después de todo, tendré que helarles el corazón.

—¡No! —protestó Sandra.

—¿Qué están haciendo aquí? ¡Siguen empeñados en devolverme a mi mundo como hicieron con los demás! ¡Eso es!

—¡No, en serio!

El fantasma se acercó más a Sandra.

Iba a pasar a través de ella.

—¡Javier! —gritó—. ¡El agua!

Miró a su primo. Estaba más aterido que aterrado. Laura seguía inmóvil, como si nada pasara.

—¡El agua, Javier! ¡Échasela!

Pipo se detuvo.

Javier por fin reaccionó, sacando el vaso de su bolsillo. Pero estaba temblando. A duras penas abrió la tapa y la retiró del vaso.

—¡No sé qué traman, pero no van a conseguirlo! —gritó la voz hueca y lóbrega del espectro.

Y a toda velocidad, pasó a través de Javier.

Helándole el corazón.

Arrebatándole el alma.

Ahora, Sandra estaba sola.

25

Lucha de poder a poder

Javier se quedó como Laura: blanco, inmóvil y con los ojos muy abiertos.

Perdido.

Atrapado entre dos mundos.

—¡No! —gritó Sandra.

—Me temo que sí, pequeña —dijo Pipo poniéndose al lado de Javier mientras le pasaba un brazo por encima de los hombros, con gesto falsamente amigable.

—Eres despreciable.

—Es una opinión. De todas formas, no tienes por qué preocuparte. En menos de lo que cuesta decirlo, les harás compañía.

Sandra comprendió que estaba perdida.

Pipo no bromeaba.

Su única oportunidad era…

Trató de mantener la calma.

—No vas a conseguirlo —dijo.

—¿Ah, no?

—Has pasado a través de él.

—Sí, ¿y qué?

No sabía si tendría tiempo de hacerlo, pero ya sólo le quedaba intentarlo. Llevó su mano derecha al bolsillo del pantalón.

—¿Qué haces? —Pipo se le acercó.

—Quiero enseñarte algo.

Sacó la caja de metal.

El espíritu abrió todavía más sus negros huecos oculares.

—Muy bonita —convino.

La mano izquierda de Sandra extrajo el pequeño imán del otro bolsillo.

—Mira, Pipo —dijo Sandra.

Puso el imán dentro de la caja.

—¿Quieres vencerme con eso? —Pipo señaló el vaso con agua de la fuente del pueblo que aún sostenía Javier—. ¿Con eso y un vaso de agua?

—Javier ha bebido agua muy rica en hierro, y tú has pasado a través de él. Te has impregnado de su esencia.

—¿Cómo?

Sandra extendió los brazos, con la caja por delante y el imán en su interior.

El espíritu de Pipo se movió un poco hacia ella.

—¿Pero qué…? —masculló al notarlo.

—Eres energía, Pipo —explicó Sandra—. Energía, y ahora, además, esa mínima energía está llena de hierro.

El espíritu se movió un poco más hacia la caja.

Pipo empezó a comprender lo que sucedía.

—¡No! —gritó.

Sandra se le acercó mucho más, viendo que por fin lo tenía dominado.

El espectro intentó moverse, huir, desplazarse… pero no pudo hacerlo. Una parte de sí mismo era atraída hacia la caja, y otra trataba de apartarse de ese influjo.

—Ya no luches, Pipo, ¡estás perdido! —lo provocó Sandra.

—¡Veremos quién está perdido, estúpida!

Comenzó una titánica y sorda pelea. Sandra con la caja, acercándose más y más a Pipo, aunque no tanto como para que él pudiera sorprenderla, y Pipo resistiéndose, desesperado, para no dejarse arrastrar dentro del recipiente con el imán. A lo largo de los siguientes segundos, nada pareció cambiar, como si las fuerzas de ambos fueran sorprendentemente parejas.

—¡No lo conseguirás! —gruñó el fantasma—. ¡Con esa porquería de imán, desde luego que no! ¡Yo te venceré! ¡Ya verás!

Sandra empezó a ver que así iba a ocurrir.

El imán no lograba succionar la energía del espectro. Era una mínima cantidad de hierro la que podía haber absorbido al pasar por Javier. Todo había ocurrido tan rápido que, tal vez, el halo fantasmal de Pipo apenas se había impregnado de hierro, y ahora todo era inútil.

El espíritu comenzó a alejarse del influjo del imán.

—¿Lo ves? —cantó triunfal—. Un poco más y te juro que…

Cuando se zafara del todo, caería sobre ella, y... sería el fin.

El imán apenas lo retenía y mantenía quieto. El espectro del loco vengador iba a ganar, a salirse con la suya.

Apenas unos centímetros más…

—¡Aaah! —Pipo empleó su poder final—. Ya, ya… ¡ya!

Sandra sintió que todo había terminado.

Y miró al espíritu. Sería lo último que sus ojos vieran en vida.

26
El reflejo final

No quiso mirar a Pipo. No quiso que ésa fuera la última imagen de su conciencia.

Miró a Laura y a Javier.

Les había fallado. Todo era culpa suya.

Su pobre hermana, su pobre primo.

Al sentir tan próxima su victoria final, Pipo empezó a reírse.

De pronto, Sandra vio algo más.

Vio el vaso de agua que Javier sostenía todavía en sus manos, con la tapa abierta apenas a un milímetro del vaso.

¡El agua!

—¡Se acabó! —gritó el espíritu—. ¡Has estado cerca, pequeña idiota! ¡Eso me pasa por ser bueno!

Sandra no lo pensó dos veces. Sin dejar de sostener la caja abierta en dirección a Pipo, saltó hacia su primo como impulsada por un resorte.

El fantasma, ya libre de la atracción del imán, no pudo reaccionar ante aquella inesperada maniobra de Sandra.

—¿Quieres huir? —fue lo único que dijo.

Sandra ya estaba junto a Javier.

Pipo lo comprendió todo al ver cómo ella extendía su mano para agarrar el vaso de agua.

—¡Maldita sea! —estalló Pipo.

El fantasma se movió rápido, dispuesto a pasar a través de la niña.

Pero ella fue mucho más rápida.

Le arrebató el vaso de agua a Javier, y mientras caía hacia atrás, se lo arrojó a Pipo.

La tapa saltó por el aire.

El agua saltó por el aire.

Y se encontraron con el fantasma que volaba hacia Sandra.

Lo atravesaron.

—¡NOOO! —aulló Pipo.

Sandra cayó al suelo, y extendió muy bien el brazo que sostenía la caja con el imán. El espíritu iba a atravesarla; sin embargo, cuando se encontraba a un centímetro de ella, quedó frenado, detenido en el aire, en seco.

El agua rica en hierro había impregnado toda su esencia, y su energía.

Pipo fue succionado por el imán con tanta rapidez, que apenas logró mantenerse unos segundos en el aire.

—¡¡¡AAAAAAARRRG!!!

Se esfumó dentro de la caja, como una reluciente y compacta nube blanca. Lo último que desapareció fue su cabeza, alargada por la velocidad de succión y la inútil resistencia final, con los negros huecos oculares alargados y aterrados.

Sandra no esperó más.

Cerró la tapa de la caja.

Y así atrapó definitivamente al fantasma del loco vengador.

27
¡Libres!

Sandra no tuvo que cavar un gran agujero, simplemente hizo un pequeño hueco para introducir la caja. La pala que Celso el mecánico había empleado la noche anterior seguía allí. Así que la usó para su propósito. Cavó en la tumba de Pipo, aún nerviosa, como lo había estado en su trayecto de los depósitos de agua al cementerio, remolcando a Javier y a Laura. De vez en cuando, miraba la caja con temor de que el fantasma pudiera salir de ella, atravesarla. La veía moverse, agitarse.

Incluso creía oír la voz de Pipo.

—¡Sácame de aquí! ¡Por favor, no me devuelvas a la oscuridad! ¡Sácame de aquí!

Sandra terminó de cavar.

Tiró la pala a un lado, sostuvo la caja con precaución y la depositó en el hueco.

Instantáneamente, la caja dejó de moverse.

La voz dejó de sonar.

Sobrevino una hermosa paz.

Y por fin, Laura y Javier empezaron a moverse, como si despertaran de un largo sueño.

—¿Qué... ha pasado?

—Sandra...

Ella, emocionada, los abrazó con fuerza, sin poder hablar. Sólo un momento. Después, y por si acaso, volvió a usar la pala y empezó a echar tierra sobre el agujero abierto en la tumba de Pipo.

La caja desapareció bajo la tierra, hasta quedar cubierta por completo.

—Adiós, Pipo —suspiró Sandra.

Laura y Javier fueron a arrodillarse junto a su libertadora.

—¿Lo vencimos? —le preguntó Laura a su hermana mayor.

—Sí, Laura. Lo vencimos.

—No lo recuerdo... —vaciló su primo.

—Estuviste muy bien, Javier. El vaso de agua fue decisivo.

—¿Ah, sí?

—Volvamos a casa —dijo Sandra.

Se pusieron de pie, y comenzaron a apartarse de aquel lugar.

—Nadie va a creernos —suspiró Laura.

—Y no vamos a contarlo —advirtió Sandra—. Nos tomarían por locos.

Locos.

Como Pipo.

Caminaron silenciosamente por entre las tumbas. La primera claridad del amanecer saludó su salida del cementerio. Saltaron el muro y, de pronto, Sandra se detuvo.

—¿Qué pasa? —quiso saber Javier.

Sandra levantó una piedra del suelo. Después se acercó a la puerta metálica del cementerio y escribió, toscamente, sobre su negra superficie.

—"QUEDA PROHIBIDO HACER SESIONES DE ESPIRITISMO" —leyó Laura.

—Más vale prevenir —dijo Sandra, sonriendo por primera vez en mucho tiempo.

Y reanudaron el camino de regreso a casa.

Impreso en los talleres de
Grupo Artgraph, S.A. de C.V.
Av. Peñuelas No. 15-D,
Col. San Pedrito Peñuelas,
C. P. 76148, Querétaro, Qro.
Junio de 2009.